Aram Chatschaturjan
Aram Khachaturian

Introduktion und Lesginka aus dem Ballett „Gajaneh"

Introduction and Lezghinka from the ballet "Gayaneh"

(Nima Farahmand Bafi)

Klavier
Piano

Musikverlag Hans Sikorski GmbH & Co. KG, Hamburg
für Deutschland, Dänemark, Griechenland, Island, Israel, Niederlande,
Norwegen, Portugal, Schweden, Schweiz, Spanien und Türkei

Boosey & Hawkes Music Publishers Ltd., London
for the United Kingdom, the British Commonwealth
(except Canada) and the Republic of Ireland

Le Chant du Monde, Paris
pour la France, la Belgique, le Luxembourg, l´Andorre
et les pays francophones de l´Afrique

Edition Fazer, Helsinki
for Finland

G. Ricordi & C., Milano
per l´Italia

G. Schirmer Inc., New York
for U.S.A., Canada and Mexico

Universal Edition A.G., Wien
für Österreich

Zen-On Music Company Ltd., Tokyo
for Japan

Spieldauer / Duration: ca 5'

Introduktion und Lesginka
aus dem Ballett „Gajaneh"
Introduction and Lezghinka
from the ballet "Gayaneh"

Konzertbearbeitung für Klavier
Concert arrangement for piano
(2016)

Bearbeitung / Arrangement:
Nima Farahmand Bafi

Aram Chatschaturjan
Aram Khachaturian
(1903-1978)

Introduzione. Maestoso

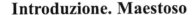

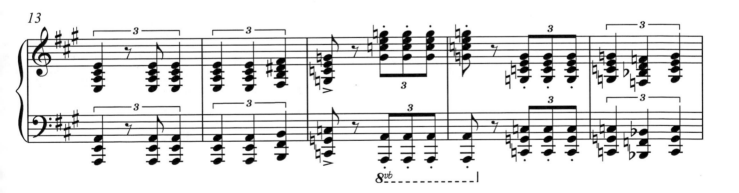

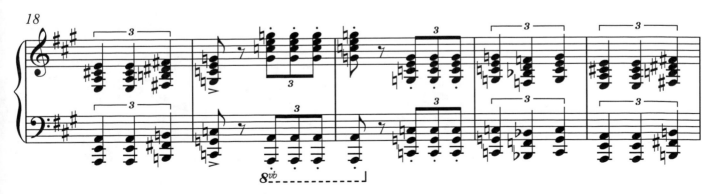

H.S. 1763

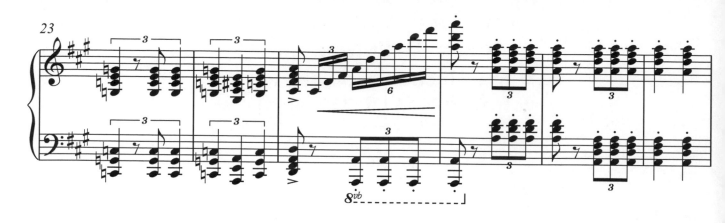

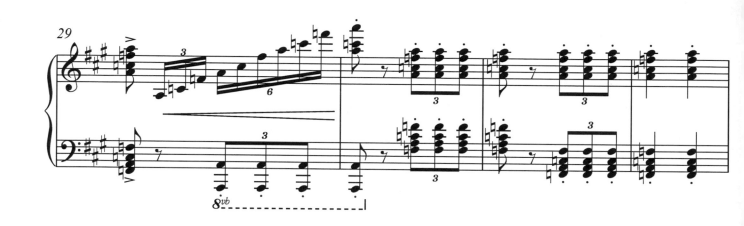

Tempo di marcia

poco rit.

Lezghinka. Allegro vivace

ossia

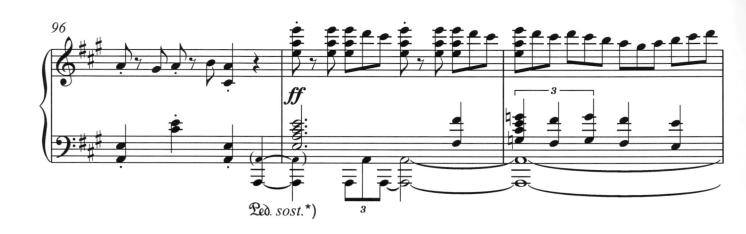

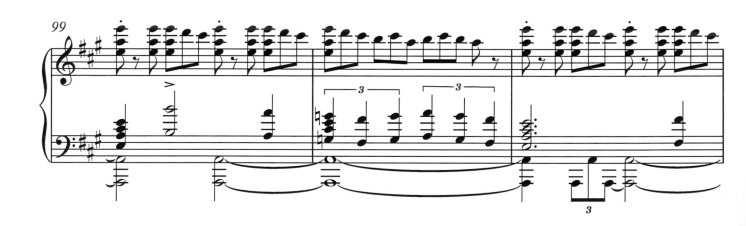

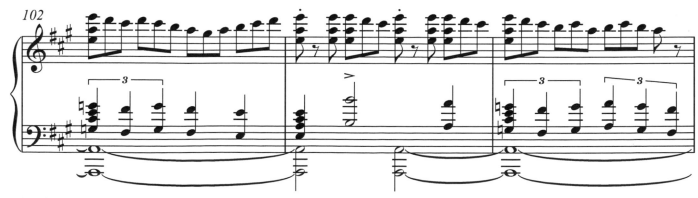

*) al fine della misura 111 (opzionalmente)

*) al fine della misura 183 (opzionalmente)

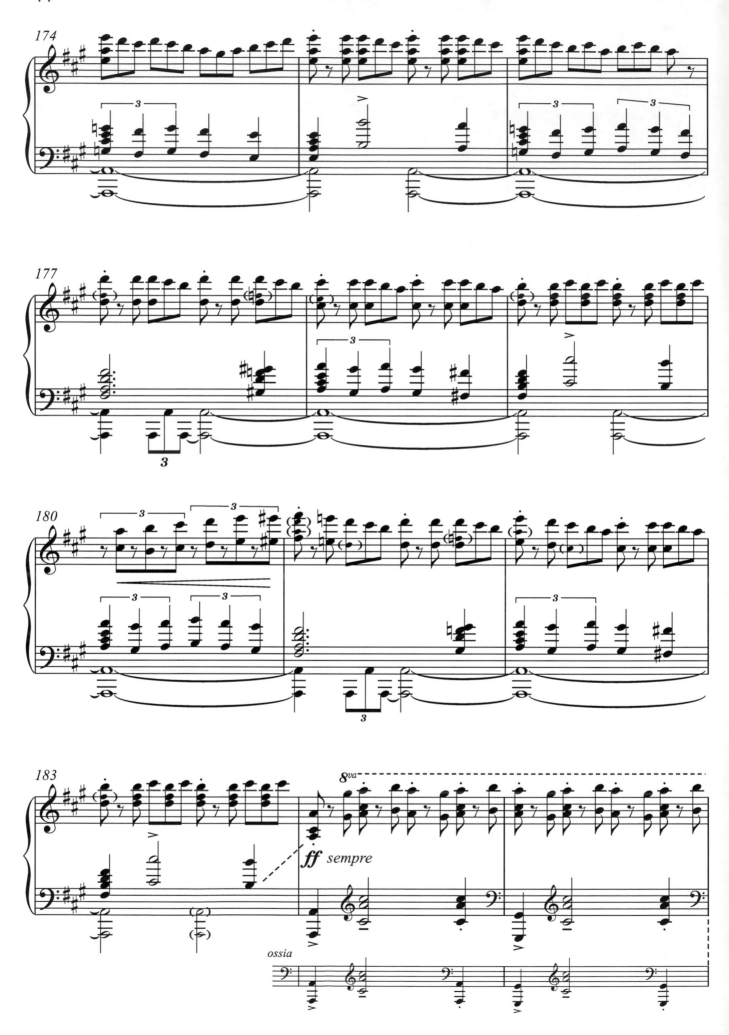

Klassiker der russischen Moderne

Aram Chatschaturjan

Poem
SIK 2106

Rezitative und Fugen
SIK 2181

Säbeltanz aus dem Ballett „Gajaneh"
SIK 2107

Sonate (Neufassung 1976)
SIK 2325

Tänze aus „Maskerade"
SIK 2105

Toccata
SIK 2103

Walzer aus „Maskerade" für Klavier zu 4 Händen
SIK 6874

Dmitri Kabalewski

Im Ferienlager op. 3/86
Jugendleben op. 14
SIK 2165

4 Präludien op. 5
SIK 2189

Sonaten Nr. 1-3 op. 6, 45 und 46
SIK 6867

3 Rondos op. 30 aus der Oper „Colas Breugnon"
SIK 2190

6 Präludien op. 38, 1-6
SIK 2114

Präludium op. 38, 24
SIK 2115

Frühlingsspiele und -tänze op. 81
SIK 2196

Rezitativ und Rondo op. 84
SIK 2197

6 Stücke op. 88
SIK 2198

Lyrische Weisen op. 91
SIK 2199

Komödianten-Galopp
SIK 2102

Sergej Prokofjew

Peter und der Wolf op. 67, ein musikalisches Mürchen für Kinder mit deutschem Text *(Morgener)*
SIK 2292 Klavierauszug

Peter und der Wolf op. 67, symphnonisches Märchen für Kinder mit englsichem, französischem und spanischem Text
SIK 6899 Klavierauszug

Peter und der Wolf op. 67
Suite für Klavier *(Nikolajewa)*
SIK 2295

Romeo und Julia op. 75, 10 Stücke für Klavier
SIK 2121

Sonate Nr. 6 op. 82
SIK 2177

Sonate Nr. 7 op. 83
SIK 2178

Sonate Nr. 8 op. 84
SIK 2179

3 Stücke aus „Krieg und Frieden" und „Lermontow" / Orgelfuge / Walzer op. 96
SIK 6591

Aschenbrödel op. 97, 10 Klavierstücke aus dem Ballett
SIK 2169

Scherzo aus der 5. Sinfonie op. 100 *(Wedernikow)*
SIK 2377

Sonate Nr. 9 op. 103
SIK 2180

Sonaten Nr. 6-9 op. 82, 83, 84 und 103
SIK 6872

Erste Klavierstücke *(Reitich)*
SIK 2276

Walzer aus der Oper „Krieg und Frieden"
SIK 2110

Dmitri Schostakowitsch

Fünf Präludien op. 2
SIK 2184

Drei phantastische Tänze op. 5
SIK 2182

Sonate Nr. 1 op. 12
SIK 2187

10 Aphorismen op. 13
SIK 2183

24 Präludien op. 34
SIK 2362

Sonate Nr. 2 op. 61
SIK 2321

24 Präludien und Fugen op. 87   Band 1: Nr. 1-12
SIK 2124

24 Präludien und Fugen op. 87   Band 2: Nr. 13-24
SIK 2188

Walzer Nr. 2 aus der Suite Nr. 2 für Jazz-Orchester (Second Waltz) *(Kula)*
SIK 2300

Walzer und Polka für Klavier zu 4 Händen
SIK 2203

Spezialkatalog: Klavier

Alle Kataloge und vieles Weitere finden Sie auch unter:
www.sikorski.de

SIKORSKI MUSIKVERLAGE · HAMBURG
www.sikorski.de